KB096560

두 시

두 시

발   행 | 2024년 08월 19일
저   자 | 석두
펴낸이 | 한건희
펴낸곳 | 주식회사 부크크
출판사등록 | 2014.07.15.(제2014-16호)
주   소 | 서울특별시 금천구 가산디지털1로 119 SK트윈타워 A동 305호
전   화 | 1670-8316
이메일 | info@bookk.co.kr

ISBN | 979-11-419-0086-1

www.bookk.co.kr
ⓒ 석두 2024

두 시

석두

CONTENT

제 1장

뭐가 급해 그리 일찍이도 가 버렸느냐
너에게 묻고 싶다

방금 스쳐 지나간 너의 잔상이
나를 보고 슬쩍 웃고 가는 것 같아
네가 원망스럽기만 하구나

마음 같아서는
주저앉아 포기하고 싶지만
조금만 기다려라

곧 널 따라갈 테니

결국, 다음 정류장까지 뛰어갔다

그런 사람이 있다
화려하다 못해
부담스럽기까지 한

나에게 넌
꽤나 부담스럽다

누군가는
바다와 한잔의 물 사이에서
한잔의 물을 골랐다

나도 그 사람처럼
네가 아닌 그 아이를 고르면,
네가 아닌 그 아이를 고르면.
네가 슬퍼할까

이상과 현실.
바다와 한잔의 물.
너와 그 아이.

그 아이를 골랐다

끝맛은 씁쓸했다

아메리카노랑 파르페 중에 뭐먹을까

사박사박.
발바닥이 땅에 스치며 내는 소리가
이곳을 채운다

어슬렁거린다는 표현이
이보다 어울릴 수 있을까

문을 열었다 닫아도 보고

부스럭,
슬쩍 들춰도 보는데

역시 아니다 싶어
소득없이 돌아간다

새벽의 부엌

익숙해.

하지만.
 익숙해지면 안 되는 거잖아.

그날도, 좋았다.

누구나
저 넓은 바다 너머에
또 다른 대륙이 있다는 걸
알고있겠지

누구나
저 높디높은 하늘 너머에
칠흑같은 우주가 펼쳐져 있다는 걸
알고있겠지

누구나
그곳의 존재라면
알고있겠지

1등

세월의 흐름을 말해주는 듯
너는 점점 잿빛으로 변해 갔다

과거를 들춰보듯
나도 너를 들춰보았다

과거의 너를 보니
너는 참 깨끗했더라

너와 헤어지려고 하는 나를 용서해다오

필통 새로 사려고

꾹 눌려있던 감정이 이제야 폭발하듯이,

다친 줄 모르던 상처가 이제야 아려오듯이,

이제야 원래 자리로 돌아온 듯이,

요동치며 나를 괴롭혀왔다.

다리 저려

확신한다
타임머신은 실존한다

다만
과거로는 되돌아가지 못할 뿐.

#Short

한동안 있던
그 아름답던 나의 여름은
곧 끝나가렵니다

그 어둡고도 칙칙한 계절을,
내게,
내게 강요하지 마십시오

내 인생의 청춘과도 같았던
짧았고도 강렬했던 그 날.

이젠
너무나도 먼 후일과도 같아서
가끔은 걱정도 되지만

그가 있기에
다채롭던,
다채로울,
색들이.
더욱 돋보이는 것이겠지요

분명 재회를 알고 있기에
나는
기꺼이 그 시간을
감내하렵니다

연휴를 보내며

씹는다.
씹는다,
으적이며
욱여넣고
뒤적이다
잘라내어

잘 닦여
번쩍이는 식기를
또 집어들어
몇번이고...

비울 때까지.
빠질 때까지.

샐러드

제 2장

고향을 떠나려
그 어둠을 타고 올라가
마침내 더 넓은 세상을 보았습니다

고향과는 비교하지 못할만큼
아름다운 풍경이 펼쳐져 있음은
분명하였으나,

두려움이 드는 것은 어쩔 수 없는 일입니다

재능

내가 추구하는 삶이란
밝은 면의 삶뿐이었는데
삶은 행성과 같은 것이라
그저 태양을 바라보며
동글동글 돌아갈 뿐이더라

돌아가는 만큼
어두운 면도 밝아지고
밝은 면도 어두워지는데
그 어두운 면도 차마 버릴 수가 없더라

그저 그 모든 게
지금의 나를 만든 거더라
삶은.

공전과 자전

회색빛 세상이다
하늘도
구름도
건물도
도로도
사람도
하나같이 다 무채색이다

다채로운 색을 가진 건
오직,

광고판

누군가에게는
기쁘고 설레는 말

누군가에게는
실감조차 나지 않는 말

하지만 그 모두에게
결코,
가볍지 않은 말

나에게는
요새 문득 찾아오는 말

어린 어른

인연은 타이밍이다
이뤄지는 것도
헤어지는 것도

근데 나는
마지막까지 눈치가 없어서
다 떠났는데도 부득불 잡고 있더라
아직도
라는 말이
네 입에서 나와

드디어
놓아 버렸다

지니고 있던 거울은
모을 수조차
없게 되었다

우정

오미자 같다
단맛
쓴맛
신맛
짠맛
매운맛
다 내는
오랜 정성이 담겨있는

하지만 요즘은
콜라
사이다
탄산음료.
그저 단맛, 단맛
톡 쏠 뿐.

아무것도 아닌
그 무엇도 아닌

문학

내 꿈은
보물 지도를 그리는 것입니다

보물이 숨겨져 있는
그 외딴 섬에서
무너졌던 성을 세우고
보물 지도를 가득 만들어
유리병에 담고는

그것들을
바다 멀리 띄워 보내고 싶습니다

먼 훗날
누군가 보물섬에 찾아와
그 보물들을 세상에 널리 퍼트려주기를
나는
다만 바랄 뿐입니다

편견

제 3장

며칠 전부터
네 소식이 들려오질 않길래
저 멀리에서
영영 떠난 줄만 알았더니
여기 혼자 울고 있었구나

그래, 생각해보면 너는
나에게 아무 말도 없었지
그저 내가
바라고
기대하고
지레짐작했기에.

얼굴이 젖어간다
이건 네 눈물 때문일까.

장마

내가 보고 있는 이곳이
추웠으면 좋겠다

저 멀리 남극보다도
차갑고도 시려워서
눈이 오지 않고는 못 견디도록

잘못 본 게 아닐까
몇 번이고 확인해보지만

얄궂게도
비다

시험지

뒤돌아보는 것조차
겁이 난다

네가 어떤 표정을 짓고 있을지...
마지막으로 본 네 얼굴은
어둡던가 밝던가

분명 신경 쓴다고 썼는데
네 표정을 보면 아니었나보다
내 착각이었나보다

나와 가던 길에
네가 얼마나 힘들었을지 생각해보니
마음이 안 좋구나

네 얼굴을 슥 닦아보니

축축하다

비 온 날 내 가방

비온다고
장화에
우비에
우산에
온갖 무장을 하고

그럴 바엔 그냥
다 벗어 던지고 가자

옷이 젖어가는 것 따위
신경도 쓰지 않는 것처럼 굴자

하늘을 보며
보란 듯이 깔깔 웃어주자

시원하다

소나기

그래,
네가 불편한 이유는
내가 숨기려던 사실을
기어코 들춰내기
때문일 것이다

나 자신을 드러내기 위한
최후의 수단.

눈물

모두 담기에는
할 말이 너무도 많기에

꾹꾹 눌러 담았다가

아무도 모르게
주섬주섬 펼쳐내었다

펼쳐낸 것을 정리하다 보니
시간은 흘렀고

또 같이 흘렀던 것이 있었다.

눈물 2

!

내가 꿈꾸는 이의 말이
세상에서 가장 무심하다고들 하지만
사실은 가장 무거운 것임을
모두 알고 있지만
모두 알고 있어서 인지

갈대처럼 여기저기 흔들대다가도
누군가에게 짓밟혀
원하지도 않는 방향으로
꺾이는 것이겠지

모두가 갈대가 꺾이기를 바라서
그리 부지런하게도 밟아대는 것이겠지

교권 침해

제 4장

두렵다.
무엇이 그리 두렵나 하면,

내 말투
내 가치관
내 전통
내 경험
내 기억
내 행복

내가 손에 쥐고 있던 그 모든 것이
먼 미래에는 그저
한마디로 바스라 질지도 모른다는 게

고루하다 여길지라도
그게 내 모든 것인데도
그리 쉽게 녹슬지도 모른다는 게

꼰대

누굴 닮아서 이리 말을 안 듣는지
이 제멋대로인 녀석들아

그렇지만
너희들의 그 행동 하나하나가
기꺼워지는 날이 오겠지

우리는 어쩔 도리 없이
오늘도 동거동락해야지

별 수 있겠니

머리카락

모든 것에는
특유의 향이 있다

하교하며
4단지를 가로지를 때의
풀내음.

옛날 영어학원에서 풍기던
커피향.

심부름을 하다 맡는
빵 굽는 냄새.

그런데,
이곳은 향이 없다.
아니, 너무도 많다.

없다고 느끼는 것은
너무 오래 머물렀기 때문일 것이요,
많다고 느끼는 것은
내가 느끼는 감정이
시시각각 변하기 때문일 것이다.

그래서
기쁘면 기쁨의 향을
슬프면 슬픔의 향을
맡게 되는 것이다.

이곳은.

환기

대답해.

난 이리도 절박한데.

확실히 말해.

난 이리 지쳐가는데

와이파이

씨도 심지 않았는데
눈치 보며 올라오는 잡초야
뿌리부터 뽑아버릴 잡초야

풍요롭던 하늘 아래
풍요롭던 밭 가운데
뻔뻔하게 고개 들고 있구나

나대지 말아라
자리 잡지 말아라

살 찜

하느님께서는 인간의
 죄를 용서하시고
 희망, 믿음 사랑으로 살아가라
하셨습니다.

그 중, 제일인 사랑.
사랑은.
곧,
누군가를 용서하는 마음일 것입니다.

나는 이 이치를
잊지 않기 위해,
용서하기 위해,
사랑하기 위해,

오늘도 내 몸에
십자가를 새깁니다.

모기 물린 곳

아름다운 것은
사실
하등 쓸모없는 것.

아름답다 여기는 것은
누군가에겐 사치일 것이요
누군가에겐 기만일 것이다

하지만 아름다운 것은
그 외모만으로도 쓸모를 다했다고
모두 알고 있기 때문에

모두가 미를 추구하는 것이다

또 충동구매를 한 건에 대하여

안녕하셨나요?
오랜만입니다

당신을 잊어버릴 정도로
짧다면 짧고
길다면 긴
반년이었습니다

세 달 전까지만 해도
당신을 그리워했는데

그럴 필요가 없었다는 것을
깨닫는 나날이었습니다

제가 괴로워한 것은
당신이 이번에야말로
돌아오지 못할까 하며
믿지 못했던 탓이겠지요

제가 당신을 그리워한 것은
당신이 온다면
이 고통을 모두 해결해줄까 하는
믿음 때문이었을 것입니다

이젠
당신을 향한
그
뜨겁던 감정이
식을 듯합니다

그 때 만큼 간절하진 않지만

안녕하셨나요.

양쯔강 기단

제 5장

아무리
아름다웠더라도.

아무리
가치 있었더라도.

탈덕

그 어느 겨울에,
언제였을지도 모를 겨울에,
널 만났겠지.

달콤하기도 했고
부드럽기도 했고
감당하기 힘들 만큼
뜨겁기도 했던

그날의 입맞춤이 있던
그 겨울을 그린다.

붕어빵

밖으로 나와 보니

차가운 속살거림이
나를 맞이한다

뿌옇게 흩날리며
날 맞이해온 것은

내게 또
겨울이 찾아왔다
하며
귀를 간질인다

찾아왔구나

또 그와 보낼 날을 찾아왔구나

만두

저질러버린 행동은
돌이키기 힘들다지만

이렇게
저지르기 쉽다면
바꿔줘

신중할 수 있게 해줘
실수할 일 없게 해줘
철저할 수 있게 해줘
고민할 일 없게 해줘

엎지른 물에는
물자국이 남았다

실수로 팔로우

여기, 한 켤레의 신발이 있다

한 쌍의 신발임에도
정반대의 색을 가진
신발이 있다

좋은 의미로든 나쁜 의미로든
나는 다른 쪽과 나를
항상 비교할 수밖에 없었다

부끄럽다.
옆에 있던 내 파란 반쪽을 보니
더욱.
하지만 내 새빨간 속내가
겉까지 물들어
내 반쪽마저
빨개지면 어쩌나

부끄러운 빨간색.
어리석은 빨간색.
겁많은 빨간색.

자랑스런 파란색.
현명한 파란색.
용기있는 파란색.

무제

말하지만,
내가 이 정도로
계획적이었던 적이 없었다.

생애 첫 데이트를 하는 듯이
설렜고
긴장됐고
걱정했고
인내했다.

때가 왔다!

끝났다.

티켓팅

욕심이 죄악이라는
사실은

말을 배우기도 전부터
들어왔다

그렇게까지
계속 말해주는 이유는

지키지 못하는 사람들이 많아서,
일 것이다

따뜻하게 감싸는 것이 좋아서

스며드는 것이 좋아서

무엇보다 부드러워서

그래서,
욕심이 나서

내 손으로 직접
망가트렸다는 사실이
훌쩍 내게 다가온다

오늘도
교훈을 하나 얻고 간다

코코아에 과자를 찍어 먹으면 맛있다

준비해둔
내가 아는 모든 예쁘다던 말들을
차곡쪼물 모아담아

내 것을 아끼고
내 것을 사랑했는데.

남들이 수놓은
찬란하고 영롱하던
그 고백 편지를

설레는 마음으로
열었던 때에.

아.

..글 진짜 뭣같이 썼네.

질투

재난과도 같아서
예고도 없이
성큼 내게 다가온다

매운 음식과도 같아서
자극적인 것에
자꾸만 손이 간다

의식하지 않으려 해도
그렇게 된다

공포영화

우리의 관계가
당신의 삶보다 짧으니
나는
언제나
끝을 생각해야 한다.

그 끝, 그리고 그 후에는
내게
'   '

라고 말해 줄 사람이 없기에

조금,
눈물이 났다.

사랑하는 나의 연장자